KB096333

Alter Ego(알터이고)

Alter Ego(알터이고)

발 행 | 2024년 3월 5일
저 자 | 김수정
펴낸이 | 한건희
펴낸곳 | 주식회사 부크크
출판사등록 | 2014.07.15.(제2014-16호)
주 소 | 서울특별시 금천구 가산디지털1로 119 SK트윈타워 A동 305호
전 화 | 1670-8316
이메일 | info@bookk.co.kr

ISBN | 979-11-410-7487-6

www.bookk.co.kr
ⓒ 김수정 2024
본 책은 저작자의 지적 재산으로서 무단 전재와 복제를 금합니다.

Alter Ego (알터이고)

김수정 지음

CONTENT

Alter Ego(알터이고) 가상 캐스팅

설윤아-20세. Cast.설인아 가난한데 완벽한 여성. 찢어지게 가난한데 엄청나게 예쁘다.
IQ도 엄청 높고, EQ도 엄청 높다. 성격도 엄청나게 좋다. 모든 것이
완벽한 그녀에게 완벽하지 않은 것이 하나 있다면, 찢어지게 가난하다는
것이다. 명문대 의예과에 진학하여 다니며 쪼들리는 생활 중에, 거액의
알바를 제안 받는다. 거액의 알바 이름은, "복제 인간 모델" 알바다.
비밀리에 제안 받은 알바는 무려 거액 1000억을 주는 알바였다.
덥썩, 수락해버렸다. 그리고 나서 자신과 똑같은 "설인아"가 태어나자마자,
그녀는 충격에 자살을 해버렸다.

설인아-20세. Cast.설인아 어느 새 시간은 흘러, 설윤아라는 존재는 세상에서 지워지고,
설인아라는 존재가 세상에 나타났다. 철저하게 비밀리에 자란 설인아는

나갈 수도 없었다. 세상에 복제인간이라는 존재가 나타난다면, 세상은 파멸에
다다를 것이기 때문이다.

여진구-20세. Cast.여진구 유명한 무술가다. 유명한 무술가들이 모여있는
"소림사"의 단장이기도 하다. 늘 싸움이 끊이질 않는 무술계에 또 다른
혜성이 등장했는데, 그녀는 바로 설인아다. 모든 것이 완벽한 설인아에게
그는 자꾸만 마음이 간다.

진해진-48세. Cast.표해진 소림사의 사장 무술가 아저씨인데 젊어 보이는 아저씨.

이회현-20세. Cast.이열음 소림사의 유명한 여 무술가. 설인아와 친한 친구가 된다.

고 윤-468세. Cast.송강 저승사자. 잘생기고 젊은 남자 저승사자인데 성격이
수상하다.

연해민-32세. CAST.*** 비밀복제인간연구소의 연구원

1이자 부장연구원의 비서이다.

김호준-35세. CAST.*** 비밀복제인간연구소의 부장연
구원.

길원정-58세. CAST.*** 비밀복제인간연구소에서 근무
했었던 부장연구원.
복제인간 설인아를 복제하는데 성공하고 나서 계속 복
제인간 연구를 했지만
다 실패하고 나서는 대학교수로 종적을 감추어 생활하
고 있다.

헤른-989세. CAST.차은우 인간의 피를 뽑아 마시는
드라큘라. 그는 우연히
복제인간이 있다는 소식을 듣고 복제인간의 피 맛이
궁금해 설인아에게 다가간다.

아사몬-489세. 해괴한 해골 모습을 한 몬스터들의 첫
번째 보스.

해서-1123세. 염라대왕.

김은진-468세. 저승사자 비서.

Alter Ego(알터이고)

01.

BGM:김연지-마음의 말(로봇이 아니야 OST)

2004년. 대한민국.
명문대 의예과에 다니는 모든 것이 완벽한 이 여학생의 이름,
바로 설윤아다.
...하지만 모든 것이 완벽한 이 여학생에게 한 가지 완벽하지
않은 것이 있다면, 찢어지게 가난하다는 것이다.
그녀는 비밀리에 거액의 알바 제안을 받는다.
그 알바는 바로, "복제인간 모델 알바".
무려 1,000억이나 준다는 그 알바에 그녀는 무작정
OK!를 시전했다.
그렇게 그녀를 복제하는 복제인간 실험은 시작되었고,
복제인간을 만들어내는데 성공했다.
"설윤아"의 복제인간 "설인아"가 태어나자마자,
설윤아는 충격에 휩싸여 다음 날 자살을 하고만다.

*

그렇게 20년이 흘렀다.

복제인간 설인아는 자신이 복제인간인줄 모르고 있다.

"유모. 나도 이제 스무 살이야. 밖에 나가면 안 돼?"

인아가 유모에게 말했다.

"....안 돼. 라푼젤 이야기 알지? 라푼젤도 오랫동안 성 안에

갇혀 있었기 때문에 왕자님을 만날 수 있었던 거야.

그러니까 유모 말 잘 들어야지?"

유모가 말했다.

"....알았어."

인아가 말했다.

2004년에 복제에 성공한 설인아는 20년이라는 시간동안 잘

살아주었다.

사실 설인아는 언제 죽을 지 모르는 상태였다.

복제인간이기 때문이다.

그리고 설인아는 자신의 부모님이 멀리에 있는 미국에 가있는 줄

알고 있었다.

...사실 그녀의 부모님 따윈 없는데도.

*

하지만 스무 살이 되었을 동안 단 한번도 밖에 나가보지 못한
설인아는 바깥 세상이 너무 궁금해 그만 탈출을 하고
만다.

*

"와~ 바깥 바람이라는 게 이런 거구나~"
설인아가 한참 동안 서울의 바깥 세상을 바라보고 있었을까.
그녀의 아름다운 외모에 사람들은 그만 눈이 부셔서 할말을
잃고 말았다.
원피스 달랑 한 장만 입었을 뿐인데 어찌나 아름다운지,
눈을 못 뗄 정도였다.
"....이제 어디로 가볼까나~"
설인아가 걸어갈 때마다 아름다운 꽃향기가 났다.
그녀는 유모가 항상 말해주었던 "소림사"로 가기 시작했다.

'소림사가 얼마나 유명한 무술인들이 있는 곳인줄 아니?
그 중에서 제일 잘생기고 유명한 무술가가 단장으로 있단다.
어찌나 멋있던지~ 팬이 되버렸다니까~'
유모가 말했던 말이 떠올랐다.
그래서 지금, 대한민국에 있는 소림사로 간다!

*

"큰일났습니다. 복제인간 설인아가.... 탈출했습니다."
연구원1이 연구원부장에게 말했다.
".....얼른 잡아와! 당장!! 이 사실이 만 천하에 들켜지게 된다면,
세상은 우리에 대한 욕과, 우리를 생매장 시키려 할 거야!!"
연구원부장이 말했다.
"네. 네. 알겠습니다!!!"
연구원1이 말했다.

*

어찌저찌 소림사에 도착했는데....

어찌 아무도 없다.

"여기요~ 아무도 없어요???"

인아가 소리쳤다.

그러자 소림사 사장 무술가가 나왔다.

".......누구냐??"

소림사 사장 무술가는 40대의 아저씨로, 꽤 젊어보였다.

"....여기.... 유명한 무술가들이 많다고 해서 찾아왔습니다."

인아가 말했다.

"...따라오거라."

진해진이 말했다.

*

"오늘 이 곳에 구경하러 오신 귀한 손님분이시다! 잘해드려라!"

3층으로 올라가자, 소림사에 유명한 무술가들이 나와서 설인아를

반겼다.

그러나 반기는 틈 사이에서 반기지 않는 사람이 한 명 눈에 띄었는데,

제일 잘생긴 청년이었다.

"저 청년은.... 무슨 문제가 있나요?"

인아가 물었다.

"아, 저 분이요! 저희 단장님이십니다! 소개해드리죠!
저희 소림사에

얼굴마담이십니다!!"

젊은 유명한 무술가가 말했다.

'단장이라면.... 유모가 지겹게도 말했던 그 단장이다.
유모가 팬이라던.'

인아가 생각했다.

인아가 뚜벅뚜벅 그에게 걸어갔다.

그리고는 손을 내밀었다.

"반가워요."

인아가 손을 내밀자, 그가 피식, 하고 웃더니, 그 손을
보지도 않고 일어나

떠나버렸다.

"뭐, 뭐야?! 저 싸가지는?!"

인아가 말했다.

"....이해하세요. 원래 인물이 잘나신 분이라, 싸가지가
좀 없어요."

유명한 소림사의 여 무술가가 인아를 말렸다.

".....그래서, 저 단장 이름이 뭡니까?"

인아가 말했다.

"..아. 단장님 이름이요. 여진구요. 진구입니다."

유명한 소림사의 여 무술가가 말했다.

"무슨 개이름도 아니고. 진구?!!?!?"

인아가 말했다.

"워워... 진정 하시구요. 보니까, 무술에 탁월한 재능이 있어보이는데, 직업이 없으시다면, 무술가 쪽으로 와보실래요?"

유명한 소림사의 여 무술가 이회현이 말했다.

"아... 네. 좋아요. 마침 묵을 곳이 딱히 없었거든요."

인아가 말했다.

그렇게 설인아의 무술가 생활이 시작되었다.

02.

무술관을 깨끗하게 청소하기 시작했다.

".....난 무술가가 될 깜이 안 되는 건가."

인아가 혼잣말했다.

"힘들어?"

회현이 인아에게 음료수를 내밀며 말했다.

"....어... 좀 그렇네."

인아가 음료수 한 캔을 받아들며 말했다.

"원래 무술가 생활이 쉽지만은 않단다. 숙녀여. 버텨라~

버티면 길이 열릴 것이다~"
회현이 말했다.

*

"...설인아가 소림사에 있다는 소문이 돌고 있습니다.
어쩔까요. 잡아올까요?"
연구원1이 말했다.
"제기랄. 이제 와서 잡아오면 이상하게 볼 거 아니야!
일단 지켜보자고."
연구원 부장이 말했다.
"예.... 알겠습니다."
연구원1이 말했다.

*

"요즘 복제인간 때문에 세상이 떠들썩한 거 아냐??
나 기사 보고 깜짝 놀랐잖아. 세상이 이렇구나~ 하고."
회현이 인아에게 말했다.
"복제인간? 에이~ 세상에 그런 게 어딨어~"
인아가 말했다.
"아니래. 지금 이 세상 어딘가에 살아서 숨쉬고 있다는
데?

수명은 일반 인간보다 짧대. 분명 복제 인간은 영혼이

없을 거야. 그치?"

회현의 말에 인아가 왠지 가슴이 이상해졌다.

".....그런가."

인아가 말했다.

"왜?"

회현이 말했다.

"....나는 그냥 왠지 뭔가..... 복제 인간도 영혼이 있을

것

같아서."

인아가 말했다.

"....야~ 복제 인간한테 영혼이 어딨냐??"

회현이 말했다.

"하지만......"

인아가 말했다.

벌컥-

누군가가 문을 열고 들어왔다.

여진구다.

".....청소를 하랬더니, 여기서 노닥거리고 있었습니까?"

진구가 톡 쏘아붙이며 말했다.

"....노닥거리다뇨! 그런 거 아니예요!"

인아가 말했다.

"됐고. 더 깨끗하게 청소해요. 빨리!"

진구가 말했다.

"알겠어요. 하면 되잖아."

회현이 말했다.

".....이회현씨. 잠시만 나가 주실래요. 설인아씨와

할 얘기가 있어서."

진구가 말했다.

"예? 뭐.... 그러시다면야..."

회현이 밖으로 나가 문을 닫았다.

쾅-

".......당신, 사람 맞아요?"

진구가 인아에게 말했다.

"....네?"

인아가 말했다.

"....아니. 사람이라고 하기에는 너무 완벽하잖아요!

사람이라고 볼 수가 없어. 사람이 아니죠?

로봇인가?"

진구가 말했다.

"...완벽하다니.... 어디가 어떻게 완벽하다는 건지...."

인아가 말했다.

"모든 게 다요.

.......나 아무래도, 그 쪽한테 빠진 것 같은데. 괜찮겠

습니까?"

진구가 말했다.

".....로봇 같다면서요."

인아가 말했다.

".....그래서 더 끌리나 봐요. 로봇같은 인간이라서."

진구가 말했다.

*

"큰일났습니다! 부장님! 세상에 복제인간이 살아숨쉰다고

기사가 만 천하에 퍼졌습니다! 이를 어쩝니까?"

연구원1이 말했다.

"........워. 워. 진정해. 원래도 있었던 기사일거야."

연구원 부장이 말했다.

"아닙니다!! 지금 복제인간이 누군지 무섭다고 사람들이

난리가 났다구요!!"

연구원1이 말했다.

"......전 세계에서 복제인간 실험에 성공한 건 설인아가 최초이자

마지막이야. 그러니까 더더욱 철저히 숨겨야지."

연구원 부장이 말했다.

"언제까지 숨기실 겁니까? 복제인간인걸 밝히면 어때요?

어차피 오래 살지도 못할 텐데!"

연구원1이 말했다.

".....오래 못 살아도, 설인아라는 인간은 평생 연예인처럼

살아야할텐데, 그 시선들과 모욕들을 설인아가 견딜 수 있을까?

나는 설인아가 설윤아처럼 자살할까봐 걱정이 돼."

연구원 부장이 말했다.

".....그런 이유도 있어서 설인아를 숨겨놓으신거군요."

연구원1이 말했다.

"그렇지. 얼른 나가서 일을 수행하도록."

연구원 부장이 말했다.

"...네. 알겠습니다."

연구원1이 말했다.

03.

어느 새 이 곳 "소림사"에 온 지도 3일이 지났다.

그 동안에 설인아는..........

주구장창 "청소"만 했다.

점심 시간.

인아와 회현이 마주앉아 밥을 먹고 있다.

회현이 밥을 먹고 나서 인아에게 말한다.

".....너 솔직히 말해. 어저께, 여진구 단장님하고 너하고

무슨 일 있었지?"

"푸흡-!!!"

그러자 인아가 밥을 먹다가 놀라서 기침을 했다.

*

밥을 다 먹고 난 후.

"아무 일도 없었어."

인아가 말했다.

".....정말이야? 진구 단장님하고 아무 일도 없었다고?"

회현이 말했다.

"응. 당연하지."

인아가 말했다.

.....'안그래도 심장이 약한 나한테 중노동을 시키는

사람인데 뭘.'

인아가 생각했다.

인아는 복제 인간으로 태어났기 때문에, 태어날 때부터

심장이 약했다.

그건 어쩔 수 없는 거였다.

자신이 복제 인간이라는 사실은 모르지만, 심장이 약하다는

것은 분명히 아는 인아였기에 항상 조심, 또 조심했다.

*

"설인아는 잘 지내고 있는가."

염라대왕이 자신의 비서역할을 하는 저승사자에게 물었다.

"그렇습니다. 벌써 20년이나 지났네요. 설윤아가 자살이라는

무거운 짐을 짊어지고 설인아의 몸 속에 영혼으로 들어간것이요."

저승사자가 말했다.

"...그렇지. 설윤아는 자살을 한 죄로 저승사자가 되는 대신,

설인아라는 원래는 태어나자마자

죽었어야 할 복제 인간의 몸 속에 영혼으로 들어가

수명 25세까지 살고 죽는 걸로 합의가 되었다.

어쩔 수 없었던 거겠지."

염라대왕이 말했다.

".....그래서. 설인아의 수명이 5년이 남았네요. 거의 모든 인생을

갇혀서 지냈고요. 마치 동물원 속의 동물처럼요. 어떻게 하실 겁니까?"
저승사자가 말했다.
".........원래 수명대로 영혼을 거두어와야지. 일단은 말이야."
염라대왕이 말했다.

*

회현이 무술 훈련을 가고 난 뒤, 인아가 혼자서 힘들게
무술관 식당 안을 청소하고 있다.
"...아이고~ 무슨 아가씨가 이렇게 청소를 잘 해~?"
무술관 청소 도우미 아줌마다.
아주머니가 인아에게 칭찬을 했다.
".....아하하.... 감사합니다....."
인아가 그대로 그 자리에서 쓰러졌다.

*

양호실.
'.....여긴 어디지?'
설인아가 눈을 떴다.

무술관 안의 양호실 안에서.

".......일어났어?"

여진구가 설인아를 빤-히 쳐다보며 물었다.

".....으앗!! 뭐야!!!"

인아가 놀라며 벌떡 일어나 도망쳐 벽에 딱 달라붙었다.

".........너.... 날 너무 얕본 것 같다."

진구가 인아에게 뚜벅뚜벅 걸어갔다.

".....뭐가?"

인아가 말했다.

그러자 진구가 히죽히죽 웃으며 말한다.

"......네 정체....... 밝혀졌다고."

"...내 정체가 뭐...."

인아가 말했다.

"...네 정체. 복제 인간이야. 그래서 심장이 약하지. 지금 이렇게 쓰러져서 양호실에 온 것도, 그 때문이고."

진구가 말했다.

".....뭐... 뭐라고?"

그러자 인아의 동공이 흔들리며 말했다.

"......설인아 네가 복제 인간이라는 사실이 만 천하에 퍼지게 된다면, 어떻게 될까? 넌 마치 연예인처럼 주목을

받으며 살아야 할텐데. 견딜 수 있을까?"

진구가 말했다.

".......바, 바보야!! 그걸 왜 만 천하에 퍼뜨려!!!"

인아가 말했다.

"....그럼. 과학적으로 엄청난 실험이 성공했는데.

안 퍼뜨려? 그게 더 이상하지."

진구가 말했다.

"........좋아. 뭘 원하는데."

인아가 말했다.

"......원하는 건 딱히 없고. 나랑 24시간 내내 딱 붙어

있어라.

딱풀처럼."

진구가 말했다.

"그게 원하는 거잖아!"

인아가 말했다.

"그래. 그게 원하는 거니까. 그렇게 해달라고.

안 그럼, 이 사실을 퍼뜨릴테니까. 지금도 연구원들이

널 쫓고 있어. 널 다시 가둬놓기 위함이야."

진구가 말했다.

".....그건 싫어! 난 평생동안을 가둬져서 살아왔다고!"

인아가 말했다.

"......그래. 그게 싫으면. 내 말을 이행하도록 해."

진구가 말했다.

4.

어느 날.
설인아의 앞에 저승사자가 나타난다.
"....하이?"
저승사자가 잠에서 덜 깬 설인아에게 인사를 했다.
그러나 인아는 비몽사몽한 채로 저승사자 고윤의 인사
를 무시했다.
아침이었기 때문이다.
"...이봐. 나 안 보여? 나 눈에 보일텐데."
윤이 말했다.
"...그 쪽이 누구신데요."
인아가 기숙사 부엌에서 물컵에 물을 따르고 물을 벌
컥벌컥
마시기 전에 말했다.
"..저승사자 고 윤이라고 한다. 너, 복제인간이라 5년
후에
죽어. 그래서 너 감시하려고 왔다."
윤이 말했다.
".......그러시던가."
인아가 말했다.

"그... 그러시던가??"

윤이 기가막혀하던 그 때.

기숙사 문을 벌컥 열고 들어온 그 사람.

청소부 아줌마다.

"어휴~ 이 숙소는 청소를 안 해, 청소를~"

청소부 아줌마가 말했다.

윤 저승사자가 다행히 일반인의 눈에는 보이지 않게

해놓아서 아줌마의 눈에는 보이지 않았다.

"아가씨, 뭐 잘 못 먹었수? 아침부터 혼잣말이여~"

청소부 아줌마가 말했다.

*

"설인아. 그녀가 날뛰는 것 같습니다.

이대로 계속 가만히 두실 겁니까?"

연구원1인 연해민이 말했다.

"그냥 놔둬야지. 뭘 어쩌겠나."

부장연구원인 김호준이 말했다.

"하지만 이대로 가다가는.... 어찌 될지 아무도 모르지

않습니까."

해민이 말했다.

"일단 지켜보자고. 그리고.....

복제인간 설인아에 대한 뉴스는 그 다음에 퍼뜨려도

늦지 않아. 원래는 태어나자마자 죽었어야 할 설인아
가
지금까지 살아남은 거니까. 우린 그 비밀을 과학적으
로 풀거다.
설인아를 최초로 복제한 길원정 연구원을 위해서라도
말이다."
호준이 말했다.
"...길원정 연구원이라면.... 설인아를 복제하고 나서도
계속 복제인간에 대한 연구를 계속하다가 결국엔 실패
하고
생물복제에 대한 연구에서 완전히 손을 떼고 대학교수
가 되신
그 분 말씀하시는 겁니까?"
해민이 말했다.
"그래. 맞아. 그 분 말이다. 그 분을 위해서라도 말이
지.
설인아가 20년 동안 살아남은 그 이유가 설사,
종교적인 이유라고 해도, 우린 찾아내자고."
호준이 말했다.

*

한적한 밤 골목.

한 아름다운 아가씨가 미니스커트를 입고 길거리에서
걸어다닌다.

조금 무서운지 빠른 걸음이다.

그 아가씨에게 한 아름다운 미남이 다가간다.

"...아가씨. 시간 있으십니까?"

드라큘라 헤른이 말했다.

"어머. 그럼요."

아가씨가 무언가에 홀린 듯이 헤른에게 이끌려 걸어갔
다.

그리고는 아무도 없는 그 곳에서......

헤른은 아가씨의 목덜미를 물고 피를 뽑아 마셨다.

아가씨가 시체가 되고나서야 마시는 걸 멈추고

시체를 아무렇게나 버린다.

"....오랜만에 포식했군."

헤른이 말하더니 피가 흐르는 입술을 손으로 닦는다.

그리고는 그 자리에서 순식간에 사라져버린다.

*

"무술의 1단계다. 쌍권찌르기. 두 손을 납작하게 하고-
빠르게 정곡을 찌른다."

진구가 말했다.

".....이렇게요?"

인아가 말하며 빠르게 쌍권찌르기를 했다.

그건 가히 완벽했다.

"...너... 무술 배운 적 있어?"

진구가 말했다.

"아니오? 없는데요."

인아가 말했다.

"아주 완벽해!! 오늘은 여기서 수업 끝이야!!
놀러가자!!"

진구가 박수를 치며 말했다.

"싫은데."

남자 저승사자 윤이 끝내주게 멋있는 올블랙
착장으로 나타나 일반인의 눈에도 보이게끔 바꾼다음
인아의 어깨에 어깨동무를 하며 말했다.

"넌 누구냐?"

진구가 말했다.

"...나? 이 여자 남자친구."

윤이 피식 웃으며 더욱 더 어깨를 끌어당기며 말했다.

".......거짓말 마. 설인아, 남친 없어."

진구가 말했다.

*

"여긴가."

낮.

한 낮 동안에는 밖에 나오지 않는 드라큘라 헤른이 검정색

썬글라스를 쓰고 소림사 앞에 등장했다.

"그 유명한 복제인간이 있다는 곳이.

후훗. 복제인간의 피는 무슨 맛일까? 가히 궁금하군 그래.

얼른 맛보고 말겠어. 복제인간의 피 맛을 말이야-."

헤른이 피식 웃으며 소림사 안으로 들어간다.

남자 드라큘라 헤른이 들어가려하자 뚜벅뚜벅 소리가 났다.

05.

썬글라스를 쓴 헤른이 소림사 안으로 들어가자,

회현이 그를 반겼다.

"손님이시네요! 무슨 일로 오셨어요?"

회현이 말했다.

"...여기 복제 인간이 있다는 소문이 있어서 왔다."

헤른이 말했다.

"...복제인간이요? 그런 소문은 들어봤지만...

누군지는 모르는데요?"

회현이 말했다.

"누군지 모른다고? 거 참 쓸모없는 인간이군!"

헤른이 말했다.

"....누가 누구보고 쓸모 없대요? 나 이래뵈도 유명한
무술가라구요!"

회현이 말했다.

"다 쓸모없고. 소림사 안으로 들어가게 해줘."

헤른이 말했다.

"처음부터 반말이세요? 존댓말 쓰면 들여보내 줄게요."

회현이 말했다.

".....인간에게 존댓말이라니! 감히 내가..!!!

흠..... 들여보내주세요. 제발 부탁드립니다."

헤른이 고개를 꾸벅 숙이며 말했다.

".......훗. 그럼 들어오세요."

회현이 말하며 먼저 소림사 안으로 걸어들어갔다.

*

소림사 안은 넓직하고도 컸다.

'...이 냄새는.....

몬스터의 냄새가 진동을 하고 있어.'

헤른이 얼굴을 찌푸리며 생각했다.

"여기예요. 저희가 생활하는 무술관이."

회현이 3층에 위치한 무술관을 보여주며 말했다.

'저 여자군.'

헤른이 복제인간인 인아를 한 눈에 알아보고 나서

그녀를 향해 뚜벅뚜벅 걸어갔다.

그리고는 인아에게 손을 내밀었다.

"....저와 함께 가실까요? 레이디."

아름다운 미남의 외모를 가진 헤른이

아름답게 웃으며 말을 했으나, 인아는 그저

말똥말똥한 눈으로 그를 쳐다볼 뿐이었다.

".......싫은데요."

인아가 말했다.

'쳇. 복제인간이라 그런가 쉽지 않군.'

헤른이 생각했다.

".....너, 무슨 일인데 우리 예쁜이를 부르는 거냐?"

윤이 말했다.

"...오호라. 넌...... 저승사..... 읍!!!!!"

헤른이 말을 하려하자 윤이 다급하게 헤른의

입을 손으로 틀어막았다.

"...저승사.... 뭐?"

인아가 얼굴을 찌푸리며 반문했다.

"...아, 아무것도 아니야!!! 하하하!!! 오늘은 일찍

들어가서 자!!! 피곤하겠다!!!"

윤이 다급하게 헤른을 어디론가로 끌고갔다.

*

"뭐야. 누군데 날 끌고 오세요?"
헤른이 얼굴을 찌푸리며 말했다.
"....너.... 드라큘라지!! 그래서 내 정체가
저승사자인거 다 아는거지!!"
윤이 소리쳤다.
아무도 없는 빈 방 안에서.
".....그렇지."
헤른이 말했다.
"이 한 낮에 드라큘라가 돌아다닐 수가 없을텐데
어떻게 돌아다니는 거냐?? 아니, 그건 둘째치고,
여긴 왜 온 거냐??"
윤이 말했다.
"한 가지만 물어봐. 첫 째. 한 낮에 드라큘라가 돌아다닐
수 있는 이유는, 내 특수한 썬글라스를 썼기 때문이고,
둘 째. 여기 온 이유는, 복제인간이 있다는 소문에,
복제인간의 피를 마시기 위함이다."
헤른이 말했다.
"복제인간의 피를 마신다 함은.......

복제인간을 죽이겠다는 뜻이잖아!"

윤이 말했다.

"그렇지."

헤른이 말했다.

"그럴 리가 없어!! 명부에는 설인아가 5년 후에 죽지,
당장 죽는다고는 안 나와있다고!!"

윤이 말했다.

"....아무래도 그 명부가 맞는 것 같긴 하네."

헤른이 말했다.

"왜?"

윤이 물었다.

".......나.... 아무래도, 설인아한테 반한 것 같거든."

헤른이 말했다.

*

"쳇. 아무도 나한테는 관심을 안 가져줘요, 관심을."

회현이 혼자서 무술 연습장 빗자루 청소를 하며 혼잣
말 했다.

그리고는 아무렇게나 의자에 누웠다.

".....아~ 편하다......."

회현이 혼잣말했다.

'이 편함이 언제까지 지속될 수 있을까.'

라는 슬픈 생각을 하는 회현이었다.

시즌2) 1화

그로부터 약 3일이라는 시간이 지났다.

헤른이라는 작자는 뱀파이어라면서 틈만나면 우리 무술관을

왔다갔다하기 일쑤였고,

헤른이 말하기를, 몬스터들이 출몰한다고 하였다.

"나도 느꼈다. 몬스터의 낌새를. 아무래도, 싸울 때가 된 거 같구나."

무술관 사장 진해진이 말했다.

무술관 안에 모든 무술가들을 모아놓고선 말이다.

그리고 저녁이 되었다.

수상한 기운들이 스물스물 기어오르더니,

순식간에 우리 소림사를 덮쳤다.

"꺄아악!!"

회현과 몇몇 무술가들의 비명소리와 함께 순식간에 소림사는

아수라장이 되었다.

저승사자 고윤과 뱀파이어 헤른, 그리고 유명 무술가 단장

여진구 역시 열심히 몬스터들과 싸웠다.

몬스터들을 다 처치하고, 진구가 날카로운 목소리로 소리친다.

"몬스터들의 보스는 어디에 있냐!!!"

"오늘은 그만해, 여진구 단장."

회현이 말렸다.

".....여기서 끝을 보겠다!! 당장 나와라!!!"

진구가 소리쳤다.

그러자, 사악한 웃음소리가 소림사 안에 가득히 울려 퍼지더니,

몬스터들의 보스가 등장했다.

해괴한 해골의 모습을 한 보스였다.

".....나다. 몬스터들의 보스가 말이지. 후후....

하지만 난 최종보스가 아니다! 최종보스는 너희들이 찾아봐라. 하하하..."

해골의 모습을 한 보스 아사몬이 말했다.

그러더니 아사몬은 사라졌다.

*

"도대체 이게 무슨 일이냐..."

회현이 풀죽은 표정으로 음료수캔을 따 마시며 혼잣말했다.

"야. 음료수 많이 마시면 건강에 안좋아~"

회현의 옆에서 인아가 말했다.

".........하지만, 그렇잖아. 갑자기 신성한 무술관에 몬스터들이

침입하질 않나......"

회현이 말했다.

그리고선 회현이 인아를 흘끗 쳐다봤다.

"..응? 난 왜 쳐다봐?"

인아가 말했다.

"복제인간이 출몰하질 않나...."

회현이 말했다.

".....야!! 그건!!"

인아가 말했다.

"두 숙녀끼리 친한 모습을 보니 기분이 좋군요."

뱀파이어 헤른이 등장하여 말했다.

".....윽. 향수냄새. 난 당신의 향수냄새가 싫더라."

회현이 헤른에게 말했다.

"......제 장미꽃 향수 냄새 말입니까? 그럴리가요. 아주 좋은

냄새인데요."

헤른이 말했다.

"어, 어쨌든 당신은!! 얼굴 몸매 잘난 것 빼곤 아무런 쓸모도

없어!!!"
회현이 갑자기 얼굴이 확 붉어지더니 소리 빽 지르고
선 가버린다.
"...누구보고 하는 소리야?"
혜른이 인아에게 물었다.
".........혜른보고 하는 소리일걸요."
인아가 말했다.

*

"이제는 잡아올 때가 된 것 같아. 설인아를 말이다.
몬스터들이 가득한 소림사에 소중한 복제인간을 둘 순
없어."
호준이 말했다.
".....네. 알겠습니다. 납치꾼들을 불러내어 잡아오죠."
해민이 말했다.

*

몬스터들을 해치운 저녁이 지나고, 그날 밤.
하늘은 아주 까맣고, 새벽이 다 되어가는 시각에,
설인아는 몰래 납치를 당한다.

*

"꺄아아악!!!!"
이른 아침부터 회현의 비명소리에 넋이 나갈 듯 하다.
"뭐야. 무슨 일이야!!"
윤이 나와 여자 숙소 문을 벌컥 열며 말했다.
"인아가.... 사라졌어!!!!"
회현이 말했다.
"...뭐라고?...."
윤이 믿기지가 않는다는 표정과 말투로 말했다.

*

"시작됐군. 복제인간연구소의 납치사건이."
여진구가 심오한 표정으로 소림사 안에 모여앉아 말했
다.
"그럼, 이제 어쩌려구? 이대로 설인아를 잃을 셈이야?"
회현이 말했다.
"....아니지. 다시 뺏어와야지. 설인아는 우리에게 꼭
필요한 인력이니까."
여진구가 의미심장한 눈빛으로 입꼬리를 씨익 올려웃
으며 말했다.

시즌2) 2화

복제인간연구소 안.

설인아가 눈을 떴다.

난생 처음 보는 연구소 풍경에 인아가 깜짝 놀란다.

"...!!!!"

"놀랐나?"

호준이 말했다.

".....여긴 어디고... 누구세요?"

인아가 말했다.

"....나는, 복제인간연구소의 부장연구원. 김호준이라고
한다."

호준이 씁쓸한 듯한 표정으로 말했다.

"....부장연구원이라고요?"

인아가 말했다.

"그래. 너도 이젠 알았겠지. 네 존재가 복제인간이라는
걸.

그래서 널 이 곳에 데려온 것이다."

호준이 말했다.

"큰일났습니다!! 부장님!! 소림사 패거리가 몰려오고 있
습니다!!"

해민이 말했다.

".....제기랄. 큰일났군. 어서 빨리 이 자리를 뜨자고!!

설인아. 너도 우리를 따라 와!!"

호준이 말했다.

"....싫은데요? 저는 소림사의 일원이라구요!!"

인아가 말했다.

"납치하기 전에 빨리!! 소림사에게 걸렸다가 심장이 약한

네가 어떻게 될지 누가 알아!!"

호준이 말했다.

"그들은 그러지 않을 거예요."

인아가 말했다.

"....바보같은!!!"

호준이 소리를 쳤다.

"어이. 아저씨. 그만 소리 좀 치지? 시끄러워서

내 고막이 다 울리는데."

진구가 말했다.

".......너희들...!!!"

인아가 그들을 보고 놀라 소리쳤다.

"그래요. 인아가 가기 싫다잖아요!!"

회현이 소리를 쳤다.

"제기랄...!! 도망 가자...!!"

호준이 잽싸게 도망갔다.

연구원들이 잽싸게 도망갔고, 소림사 패거리들이 주저
앉아있던

인아를 일으켜세워줬다.

".....여긴 어떻게 온 거야?"

인아가 말했다.

"어떻게 오긴, 뭘 어떻게 와~ 네 걱정돼서 왔지."

회현이 말했다.

".....얼른 돌아가자."

진구가 말했다.

*

소림사의 밤.

무술관 지붕 위에 헤른이 올라가있다.

그러자 익숙하게 회현이 올라가 옆에 앉는다.

"날씨가 참 춥네요. 그죠?"

회현이 말했다.

"....밤에 인간이 잠이나 자지, 왜 갑자기 들러붙어."

헤른이 말했다.

".....지금 봄이게요? 가을이게요?"

회현이 말했다.

"........봄이지. 파릇파릇한 봄."

헤른이 말했다.

"맞아요~ 봄이예요!!! 나는요. 사실...."

회현이 말했다.

".....네 얘기 들어줄 시간 따위 없어."

헤른이 말했다.

".......사랑해."

회현이 말했다.

그 말 한 마디,

"사랑한다"는 한 마디에 헤른이 마법처럼 뒷모습이 멈춰버렸다.

가려던 그 서있는 뒷모습이.

"사랑한다구요. 헤른을."

회현이 말했다.

".......내가 소림사에 이거 다 퍼뜨릴까? 미남 헤른한테 고백했다

차인 유명 무술가 이회현이라고."

헤른이 말했다.

".....그럼 그러던가요. 나, 그 소문 헛소문으로 만들만큼 돈 많거든요."

회현이 말했다.

".......피식. 과연, 이회현다운 답변이군."

헤른이 말했다.

그러더니, 헤른이 성큼성큼 회현에게 다가가 입술에 키스를 했다.

한 10초 후, 헤른이 입술을 뗐다.

"....꺼져. 난 설인아한테 관심 있으니까."

혜른이 말했다.
"못 꺼지겠다면!!!"
혜른의 뒷모습에다 회현이 소리쳤다.
"......그럼 기다려! 내가 설인아한테 관심 끌 때가 올지
도 모르잖아?
확률은 아주 낮겠지만."
혜른이 말하더니 가버렸다.

*

드라큘라 혜른은 젊은 남성의 피를 빨아 마셨지만,
어떤 드라큘라 킬러의 총을 가슴에 맞아 가슴에 피를
쏟으며
자신의 집으로 간신히 피신했다.
"헉, 헉..... 제기랄... 제기랄....!!!"
혜른이 서둘러 약을 찾았다.
약을 마시고 나서야 그는 안정을 되찾고 가슴이 고쳐
졌다.
인간의 피를 뽑아마셔서 죽이는 뱀파이어가 성행하자,
그 뱀파이어를 볼 수 있는 영안이 열린 사람들이 뱀파
이어킬러를
돈을 받고 하게 되면서, 혜른은 점점 먹고 살 자리를
잃어가고 있었다.

"......소림사에서 인간처럼 살아간 지도 오래되었구나."

혜른이 소림사에서 찍은 단체사진 액자를 보며 혼잣말 했다.

".....혜른님, 요즘 뱀파이어 킬러들이 성행하고 있습니다.

밖은 너무 위험합니다. 소림사도 그만 두시고, 밤에 인간 사냥을

나가는 것도 그만 두십시오. 인간의 피를 담아둔 피팩은 많으니까요."

혜른의 메이드가 말했다.

".....다 알았다. 알았는데...... 소림사만은.... 소림사만은 다니게 해줘.

.......너무 집에만 있으면, 뱀파이어도 힘든 법이야."

혜른이 말했다.

".....설인아 때문이죠? 사랑하는 여자 말입니다."

메이드가 말했다.

그러자 혜른이 피식, 웃으며 고개를 끄덕였다.

".......당장 내 침대에 설인아를 껴안고 즐겁게 놀고 싶은 심정 뿐이야.

그런데 현실은 이러니..... 참..... 꼴불견이군."

혜른이 말했다.

*

다음 날.

아무렇지도 않게 헤른이 소림사에 왔다.

"어이!! 바보!!"

진구가 헤른에게 말했다.

"....내가 왜 바보냐?"

헤른이 얼굴을 찌푸리며 말했다.

"잘생긴 바보. 널 말하는 거 아니겠냐?

너, 소림사에 아예 무술가로 들어와라. 내가 허락해주
겠다."

진구가 말했다.

".......나한테 질텐데. 후회하지 않을 자신 있으십니까?
인간 주제에-."

헤른이 말했다.

"....인간 주제에? 너, 꼭 인간이 아닌 것처럼 말을 한
다?"

진구가 말했다.

"...워, 워~ 싸우지들 말라구~"

회현이 말했다.

"좋아. 오늘 오후 6시. 운동장에서 한 판 뜨자."

헤른이 말했다.

"이기면 뭐가 좋지?"

진구가 말했다.

"........이기면, 네 소원 한 가지 다 들어주지."

헤른이 말했다.

"좋았어. 있다 오후 6시에 보자."

진구가 말했다.

사납게 웃으며.

시즌3) 1화

기다리던 오후 6시가 왔는데.....

비가 많이 온다.

결국 둘은 싸움을 하지 않기로 했다.

설인아가 나와서 밖을 쳐다본다.

비도 많이 오는데, 우산도 안 쓴 채로.

아무도 없는 운동장에, 설인아 혼자다.

".....편하네. 혼자 있으니까."

인아가 생각했다.

*

"....어쩌실 겁니까? 복제인간 설인아의 안에 자살한
설윤아의 영혼이 있다는 사실이 만 천하에 알려진다
면....

설인아를 노리는 사람들이 많아질 거란걸 알지 않으십
니까?"
해민이 말했다.
"너무 조급해 하지말라구. 그 쯤은 나도 아니까."
호준이 말했다.
"너무 안일하십니다, 부장님."
해민이 말했다.

*

"이제 서서히 다가오고 있군."
염라대왕 해서가 말했다.
"뭐가 말입니까?"
저승사자 비서 김은진이 말했다.
".....설인아의 안에 설윤아의 영혼이 들어있다는 어마
무시한
사실이 만 천하에 알려질 때가 말이야."
해서가 말했다.

*

어느 새 잠에 들 시간이다.
인아가 비를 맞아서 찝찝한 몸을 샤워를 하고 새 옷으

로

갈아입고 나선 자리에 눕는다.

'벌써 이 곳에 온지도 많은 시간이 흘렀구나.'

인아가 생각했다.

'그 동안에 난.... 뭐가 변했지?'

인아가 생각했다.

*

다음 날 아침.

"회현아. 이회현!"

인아가 아침부터 회현을 깨우고 있다.

".....5분만 더..."

회현이 비몽사몽하며 말했다.

"...놔두고 먼저 밥먹으러 간다!"

인아가 말했다.

"....인아가 밥 혼자 먹게 놔둘 순 없지.... 간다, 가...."

회현이 비몽사몽하며 일어났다.

*

"몬스터보다 더 무서운 게 생겼대.

그건 바로.... 몬스터를 무찌르는 무술가들이야.

그 무술가들이 우리 소림사를 노리고 있단 소식이야."
회현이 밥을 다 먹고 나서 양치까지 다 하고 나서
쉼터에서 말했다.
"....뭐??"
인아가 말했다.
"....그리고..... 복제인간에게 영혼이 있다는 찌라시가
돌던데.... 너... 그거 진짜야?"
회현이 말했다.
"......아마.... 그런 것 같아..."
인아가 말했다.
"....아마 그런 것 같으면 있는지, 없는지 모르잖아!
어휴, 그냥 찌라시였나보네."
회현이 말했다.
"아냐, 있어! 이 가슴 속에...... 내 영혼이!"
인아가 가슴에 손을 올리며 말했다.
"맞아. 네 안에 영혼 있어. 아주 아주 깊은 영혼."
저승사자 고 윤이 나타나 말했다.
"엑!! 넌.... 윤이잖아!!"
인아가 놀라며 말했다.
"내가 너희들에게 내 비밀 알려줄게.
나 사실...... 무시무시한 저승사자야."
윤이 짐짓 무서운 표정을 하며 말했다.
"....거짓말~"

회현이 말했다.

"진짜지???"

인아가 말했다.

"......응."

윤이 말했다.

"뭐어~????"

회현이 놀라서 소리쳤다.

*

"자자. 정리를 해보자면.... 고 윤은 사실 저승사자고,

설인아는 사실 영혼이 있는데, 그게 무슨 영혼인지는 아직

미지수고, 혜른은 흡혈귀다.... 뭐 이런 거 아니야???"

시끄럽고 왁자지껄한 무술관 안.

회현과 진구, 인아와 윤, 혜른은 둥그렇게 모여 얘기를 하기 시작했다.

회현이 먼저 말했다.

회현이 말하자, 윤과 인아, 혜른이 고개를 끄덕였다.

"하, 씨...!! 그걸 왜 진작에 말 안 해준거야..!! 일이 꼬이게..!!

그래서, 너네 어떡할라고...!! 너네 이미 무술가야...!!"

회현이 말했다.

"미안하다."

윤이 말했다.

"미안하다 투."

헤른이 말했다.

"미안하다... 쓰리..?"

인아가 말했다.

"이게 미안하다는 말로 해결될 문제야?? 인아 안에 있는

영혼은 또 어떻게 하고...!!"

회현이 말했다.

"뭐, 어떻게든 되겠지."

진구가 말했다.

"넌 또 왜 이리 무덤덤해..!! 일단은 그럼, 인아의 안에 있는

영혼은..... 전생이 있는 영혼인 건가, 그럼??? 하, 씨... 어려운데??"

회현이 말했다.

"그건 나도 아직은 모르겠어..."

인아가 말했다.

"내가 알아."

윤이 말했다.

*

"그래서. 설인아는 설윤아라는 완벽하고 가난한 여성을 복제해서

만들어진 인간이고.... 그 설윤아라는 여자는 설인아가 태어나자마자

충격에 자살을 했는데, 설윤아라는 여자의 영혼이... 설인아의 몸 속으로

들어가 지금까지 살고 있는 거라고???"

회현의 말에 윤이 고개를 끄덕였다.

"그럼 설인아의 영혼... 아니.... 설윤아 영혼은 몇 살인 거야??"

회현이 말했다.

"그런 거 일일히 안 따져도 돼. 설윤아는 설인아의 몸으로 환생한거나

다름 없어서, 나이는 설인아 그대로 따라가니까."

윤이 무덤덤하게 말했다.

"이런 엄청난 진실을 알고 있었으면서도.... 비밀로 했다고??

고 윤??"

회현이 말했다.

"너희들 인생에 별 도움이 안 될 것 같아서."

윤이 말했다.

*

그날 밤.

"헤른. 궁금한게 있어."

지붕 위에 헤른이 있었는데 그 옆을 회현이 차지했다.

회현이 말하며 옆에 앉았다.

"뭔 일인데."

헤른이 말했다.

"...인간들이 많은 무술관에 있으면서. 인간들의 피를
마시지 않는 이유가 뭐야?"

회현이 말했다.

"....그건...!!"

헤른이 말했다.

"....말해봐."

회현이 말했다.

"....설인아 때문이야. 설인아만 보면, 이 무술관 인간들
을
지키고 싶어지니까."

헤른이 말했다.

"....설인아가 이 무술관에서 사라지면, 이 무술관도 표
적이
되겠네?"

회현이 말했다.

"....뭐, 그런 셈이지."

헤른이 씁쓸한 표정으로 말했다.

"그렇다면, 난 너를 용서할 수 없어. 헤른."

회현이 말했다.

조금은 엄중한 표정으로.

".....넌, 날 사랑하는 거 아니었나?"

헤른이 말했다.

"하지만, 넌 날 사랑하지 않지. 이 모순된 상황에..."

회현이 말했다.

"나도 널 사랑해."

헤른이 말했다.

"뭐..?"

회현이 말했다.

"....아직은..... 친구로써 호감일 뿐이지만.... 킥...."

헤른이 말을 하더니, 흡혈귀의 망토를 휘저어 그 자리에서 사라졌다.

"....김 빠지게 하는 녀석...."

회현이 그 자리에서 주저앉았다.

시즌3) 2화

BGM:에이핑크(Apink)-Nothing

다음 날 아침.

그렇게 하루가 지났다.

어마무시한(?) 정보들을 알게 된 여진구와 친구들은,

그 정보들을 비밀로 하기로 했다.

이 정보가 퍼진다면, 설인아가 무사하지 못하게 분명했기 때문이다.

복제인간의 몸 속에 영혼이 있다면, 난리가 날게 분명할 것이다.

하지만 설인아가 복제인간이라는 소문과 함께,

설인아의 몸 속에 자살한 설윤아의 영혼이 있다는 소문도 함께 퍼졌다.

설인아는 순식간에 소림사에서 쫓겨날 위치에 서게 되었다.

이에 진해진은 강력하게 부인했다.

"...설인아는, 우리 소림사의 일원이다."

사장 해진은 설인아를 놓치려 하지 않았고, 그럴 수록 인아는

위험해지기 마련이었다.

"우선은 우리 집에서 지내는 게 좋겠어."

저승사자 윤이 말했다.

"하지만...."

인아가 말했다.

"지금 성별 따질 때야? 네가 다시 연구소로 돌아간다면,

그 곳에선 널 가둬놓으려 할테고, 소림사로 돌아간다

면,

널 쫓아내려 할 거야. 네가 갈 곳은 우리 집 밖에 없
어."

윤이 말했다.

"...휴..... 알았어."

인아가 며칠간 심장으로 인한 질병휴직을 내고 윤의
집에서

쉬게 되었다.

*

설인아가 사라진 소림사는 놀랍지도 않게도 평소와 똑
같이

흘러갔다.

"...와.... 진짜 잔인하다.... 어쩜 저리들 평소와 똑같을
까..."

회현이 말했다.

진구와 헤른은 아무런 말도 하지 않았다.

*

영혼이 있는 설인아는 결국 붙잡혀 비싼 값에 팔리고
말았다.

부잣집에게 말이다.

그 곳에서 설인아는 갇혀서 인형처럼 지내야 했다.

"어차피 몇 년 밖에 못 산다며? 이 곳에서 편하게 지내."

아무것도 모르는 부잣집 여자애가 말했다.

"싫어. 난 갇혀있는 건, 지긋지긋 하다구!"

인아가 말했다.

"어쩔 수 없어. 난 간다~"

여자애가 나가버린다.

쾅.

문은 닫히고, 이 넓은 방에, 설인아는 혼자다.

'내게 영혼이 있다는게, 진짜인가...?'

인아가 속으로 생각했다.

그 순간 생각나는, 전생의 기억.

한강 위에서 뛰어내려, 자살한 기억이 끝도 없이 계속 밀려들어왔다.

그 고통이, 숨막히는 애절함이, 설인아를 옥죄어왔다.

"헉, 헉...!!!!"

설인아가 창틀을 붙잡고 머리를 헝클어뜨렸다.

'살려줘...!! 살려줘..!'

전생의 설윤아의 목소리가, 머릿 속에 끊임없이 울려 퍼진다.

죽고 싶었지만, 사실은 살고 싶었는지도 모른다.

설인아를 인정하기 싫었지만, 인정하고 싶었는지도 모른다.

*

한 편. 소림사 안.
여진구가 싸늘한 표정으로 한 녀석의 모가지를 손으로 잡는다.
"커헉....!!!"
그러자 그 남자 무술가가 고통스러운 신음소리를 내뱉는다.
"무술가도, 격투가의 일종인거 알지?..... 너 때문에 설인아가
소림사를 떠난 거냐?"
여진구가 말했다.
"그게 무슨 소리야...!! 여진구!! 설인아는 고윤이 데려갔잖...."
회현이 말했다.
"넌 빠져!!! 설인아는 지금, 부잣집에 팔려갔다구!!!!"
진구가 말했다.
회현이 빠져줬다.
"이게 뭐하는 짓이냐?"
사장 해진이 진구에게 다가왔다.

"당신 때문입니까? 설인아가 팔려간거요."

진구가 눈을 붉히며 말했다.

".......나 때문은 아니다. 난 설인아가 이 곳에 있길 바랬어."

해진이 말했다.

"....그럼 누구야!! 누구냐고!! 설인아를 다시 가둬놓은 게-!!!"

진구가 소리를 쳤다.

"........."

회현이 가만히 있었다.

"거 참, 시끄럽게 구네. 애송이. 그렇게 설인아가 갇혀 있는게

불만이면, 찾으러 가면 될 거 아냐?? 내가 도와줄게."

헤른이 말했다.

".....진짜냐?"

진구가 말했다.

"그럼! 이회현, 고윤 너희도 날 따라와!"

헤른이 앞장서서 걸어갔다.

"잘 갔다 오너라~"

뒤에서 소림사 사장 해진이 손을 흔들며 보내줬다.

*

"이 곳이야?"

진구가 말했다.

"응. 이 곳이야."

혜른이 말했다.

마치 대궐보다 더 큰 성같은 집이었다.

"들어간다."

진구가 말했다.

"잠시만요. 누구신데 들어가시려는 겁니까?"

경호원들이 말했다.

그러자 흡혈귀 혜른이 둘을 물어 죽인 뒤 안으로 들어간다.

시즌3) 3화

일단은, 갇혀있는 설인아를 밖으로 끌어내야한다.

하지만 어떻게?

방법이 없다.

여진구가 생각했다.

"....설인아를 여기에서 탈출시키자. 그 방법 밖엔 없어!"

저승사자 고 윤이 말했다.

결국 설인아와 함께 혜른과 윤, 진구는 탈출했다.

인아는 윤의 집에 얹혀살게 되었다.

물론, 설인아를 좋아하는 고 윤에게는 꼭 먹기좋은
먹잇감이 집 안으로 들어온 거나 마찬가지였지만.

*

남자 숙소 안.
"제기랄!"
진구가 벽을 주먹으로 쾅! 치며 울분을 터뜨렸다.
"왜 그래? 단장?"
같은 숙소 남자 무술가가 물었다.
".....아무 것도 아니야."
진구가 손을 내리며 말했다.
'.....고 윤 녀석. 가만히 두지 않겠어. 설인아 털 끝 하
나
건드렸다간.'
진구가 생각했다.

*

고 윤의 집.
넓고 하얀 집에 설인아가 그만 넋을 잃고 만다.
"와, 너무 멋있다."
설인아가 말했다.

"......그치? 하지만, 사람이 죽으면 하얀 리본을 머리에
다는 거 알지? 그런 집이야, 이 집은."
윤이 말했다.
"....너무 슬픈 집이구나."
인아가 말했다.
"지금 이 상황에, 너보다 더 슬픈 게 더 있을까."
윤이 슬픈 목소리로 말했다.
윤의 말이 다 맞았다.
지금 이 상황에 제일 슬픈 존재는, 바로 설인아,
그녀였다.

＊

다음 날.
"출근해도 괜찮겠어?"
윤이 인아에게 물었다.
"....당연하지!"
인아가 애써 웃어보이며 말했다.
집에 있어봐야 적적할게 뻔했다.
혼자 있는 것, 그건 그녀가 은근히 두려워 하는 거였
다.

＊

"도림사가 쳐들어왔다!!"

한 남자무술가가 소림사 안에서 소리쳤다.

"...뭐라고?"

진구가 말하며 그 곳을 쳐다봤다.

정말로 도림사의 무술가들이 소림사를 침략하려고

찾아오고 있었다.

"......어떻게 할까요? 단장님?"

회현이 물었다.

"어쩌긴 뭘 어째? 싸워야지."

진구가 웃었다. 사악하게.

*

윤과 인아가 출근했을 땐 이미 도림사의 무술가들이

소탕되어

있을 때였다.

".....이게 무슨 일이야?"

윤이 말했다.

".....도림사의 무술가들이 쳐들어왔었어. 그래서 우리가

막아낸거고."

회현이 말했다.

".....우리가 뭐 할 건? 없고?"

인아가 물었다.

".....간신히 돌아오신 인아씨는 쉬시고요! 우리는 지금부터 무술

경연 대회에 나갈 거야."

회현이 말했다.

"....무술 경연 대회? 그건 또 뭔데?"

인아가 말했다.

"무술 경연 대회라고, 다른 사찰의 무술가들과 경쟁하는 모습을

대회로 표현하는 거라고 보면 돼. 그 대회에서 1등 하면,

그 무술가들이 있는 사찰은 1등 사찰이 돼."

회현이 말했다.

"....그럼... 나도 나가겠어."

인아가 말했다.

*

무술 경연 대회.

"......지금부터, 무술 경연을 시작하겠습니다."

무술 경연 대회 MC가 말했다.

첫 라운드.

설인아와 수림사의 여자 무술가다.

인아는 그 무술가를 간신히 제압한 뒤, 승리를 이뤄낸다.

"너희 소림사의 대표가 너, 여진구냐?"

호림사의 대표 남무술가가 말했다.

".......그래, 나다."

진구가 말했다.

"오늘이야 말로 너희 소림사를 끝장내 주지."

호림사의 대표 남무술가가 말했다.

".....나야 말로."

진구가 말했다.

진구는 호림사의 대표 남무술가의 공격을 가뿐히 피하더니,

호림사의 대표 남무술가의 뒷통수를 발로 가격했다.

퍼억-.

그러자 호림사의 대표 남무술가가 쓰러져 K.O 당했다.

*

"야. 오늘 경연 재미있었지 않냐?"

회현이 인아에게 말했다.

"그러니까. 재밌었어. 우리 소림사가 1등 하기도 했고 말이야."

인아가 말했다.

*

그 시각.

무술 경연 대회에서 진 수림사의 무술가들은 이를 바득바득

갈고 있었다.

".....내일.... 소림사를 침략한다. 폭탄과 함께!"

소림사의 남단장 무술가가 단호하게 무술가들에게 말했다.

시즌3) 4화

다음 날.

삐 - 삐 - 삐 - 삐 -.......

"여진구 단장!!! 단장!!"

대학병원 응급실.

응급 침대 위,

여진구 단장이 산소호흡기를 꽂고 누워 있다.

응급 침대 손잡이를 잡고 이회현이 따라가며 눈물을 흘리고 있다.

"...이제 그만해! 회현아."

인아가 따라가다가 심장이 약해 주저앉으며 말했다.

"...여진구 단장이 폭탄에 맞았어. 그것도 가슴에.
수림사의 짓이야. 우린 가만 두면 안 돼!"
회현이 말했다.
".....일단, 진구가 무사한지부터 보자고. 응?"
인아가 말했다.

*

개인 입원실 안.
"여진구 단장. 듣고 있어? 인아도 왔어...."
회현이 말했다.
"...."
그러나 진구 단장은 말이 없었다.
"........보고 싶다. 눈 좀 떠봐, 제발....."
회현이 눈물을 뚝뚝 흘리며 말했다.
".....나야. 여진구. 설인아."
인아가 입을 뗐다.
"...네가 경험해보니 어때? 복제인간처럼 몸이
아파지니까, 이제야 건강의 중요성을 좀 알겠냐?"
인아가 말을 하면서 눈에서 눈물이 흘렀다.
".......이 모든 게 서프라이즈 파티였으면 좋겠다, 정
말..."
인아가 눈물을 닦으며 말했다.

"..이제 그만 가자."

인아가 매몰차게 뒤돌아서며 말했다.

움찔-

그 순간, 진구의 손가락이 살짝 움직였다.

"...인아야!! 진구 단장의 손가락이.. 움직였어!"

회현이 말했다.

*

그러나 진구 단장은 깨어나지 않았다.

아니, 정확히 말하자면, 깨어나지 못했다.

여진구가 누워있은지도 이제 일주일이 지나간다.

"....그 동안에 마음 정했냐?"

윤이 옆에 앉아 물었다.

"...뭔 마음?"

인아가 물었다.

"여진구를 택할건지, 날 택할건지."

윤이 말했다.

".......너.... 그새 돌았냐?"

인아가 말했다.

*

시즌3) 5화

"-글쎄. 그렇게 돌진 않은 것 같은데. 너에 비하면."

윤이 말하며 씨익 웃었다.

"...뭔가 기분 나빠."

인아가 자리를 떠나자 윤이 뒤에다 대고 말한다.

"5년 금방 지나가. 설인아."

알 수 없는 말을.

*

여진구 단장은 깨어났고, 기억상실증도 걸리지 않았지만,

예전보단 말수가 많이 줄었다.

마음에 상처가 생겨서 그렇다고 했다.

인아는 진구 단장의 개인 입원실을 들여다보다가

회현과 깔깔 대고 있는 진구를 발견하고선 얼굴이 사색이 되어버린다.

그리고선 그 자리를 급히 떠나버린다.

...얼마 안 가 괴한의 습격에 정신을 잃고 납치를 당해버린 설인아였지만.

*

다시 또, 제자리다.

인아가 일어났다.

그 곳에, 총기를 들고 있는 남자가 있었다.

'...!!!!!!'

인아가 아찔함을 느끼며 눈을 다시 감았다.

"....이 복제인간이, 수명이 25살이라는 그 인간인가?"

신기하단 듯 쓰러진 척 하는 설인아를 쳐다보는 총기를 소지한 인간.

"...잘 가라."

그는 설인아에게 총기를 겨눴다.

거대한 총기를.

*

"....너랑 할 얘기 없어."

진구가 말했다.

그러더니 인아를 찾으러 진구가 뛰어가기 시작했다.

그러나, 진구의 앞을 윤이 막아섰다.

"왜 그래??"

진구가 물었다.

윤이 고개를 절레절레 흔들었다.

설인아. 오늘 사망. 이라고 적혀있는 명부를 보여주었

다.

"말도 안 돼!!!"

진구가 소리쳤다.

*

빠앙-!!!

총기 소리가 설인아의 뇌리 속을 소쳐가듯 스쳐지나갔
다.

그리고, 설인아는 뇌 속에 총알이 박혀 사망했다.

피가 뚝뚝... 흘리는 설인아는 아름다웠지만,

시체였기에, 아무런 의미도 없었다.

"가질 수 없다면 죽여야지... 안 그래?"

남자가 비열하게 웃어대더니, 그 자리를 빠져나갔다.

*

그리고, 300년 후.

여진구와 설인아는 다시 태어났다.

캠퍼스 커플로 알콩달콩한 상태이다.

벚꽃이 흩날리는 대학교 캠퍼스 안.

둘은 키스를 한다.

후기:용량이 너무 짧네요...... 저의 한계인 것 같습니
다.......
감사합니다!